# LA TEMPÊTE EST BONNE

Simon Boulerice

Québec ✚✚
Crédit d'impôt     Gestion
livres            SODEC

Gouvernement du Québec – Programme de crédit d'impôt
pour l'édition de livres – Gestion Sodec

Nous reconnaissons l'aide financière du gouvernement du Canada par
l'entremise du Fonds du livre du Canada pour nos activités d'édition.

© Les éditions les Malins inc., Simon Boulerice
info@lesmalins.ca

Directeur de collection : Pierre-Yves Villeneuve
Éditeur : Marc-André Audet
Illustration de la couverture : Paule Trudel-Bellemare
Conception de la couverture : Shirley de Susini
Mise en page : Jessica Papineau-Lapierre et Chantal Morisset

Dépôt légal – Bibliothèque et Archives nationales du Québec, 2014
Dépôt légal – Bibliothèque et Archives Canada, 2014

ISBN : 978-2-89657-262-5

Imprimé au Canada

Les éditions les Malins inc.
Montréal (Québec)

À Janine et Marcel,

mes grands-parents Boulerice

chez qui je me sentais toujours à l'abri

à Noël comme en tout temps.

*La tempête est bonne quand l'abri est sûr.*

Jean Giono

C'est Noël et je suis heureuse.

Une guirlande de feuilles de gui tout en plastique sillonne le plafond de la salle à manger. Elle fait de la musique. Ça me rappelle la plante grimpante que papa a achetée à maman l'an passé. Des clochettes s'illuminent de temps en temps, quand ça leur chante. Et tous les airs du temps des fêtes y passent. Je reconnais « Petit Papa Noël », « Vive le vent ! », « Le petit renne au nez rouge », « Mon beau sapin »... Plein de musiques qui me donnent envie de célébrer.

Faux.

Oui, c'est Noël. Oui, la guirlande n'arrête pas avec sa musique joyeuse. Mais non, je ne suis pas heureuse. Si j'étais vraiment honnête, j'irais même jusqu'à dire que je suis malheureuse. Toute cette musique qui tinte autour de la famille Beaulieu m'est insupportable. Je n'ai pas le cœur à célébrer. J'ai le cœur à tout détruire.

Voilà la vérité toute nue : c'est Noël et je suis malheureuse.

Je fais semblant que tout va bien. Je suis une professionnelle, là-dedans. Je fais semblant mieux que quiconque. Présentement, entourée par la famille (éloignée) de ma mère, je souris très fort. Je souris tellement qu'on me croit heureuse.

Je suis capable de mener n'importe qui en bateau. Tous les Beaulieu croient que je suis radieuse.

Je ris, même devant les niaiseries d'un monsieur, un certain Robert, le cousin de maman. Il a retiré son dentier et fait de drôles de grimaces. Son nouveau visage le vieillit. C'est comme s'il avalait ses lèvres de l'intérieur. Ainsi édenté, il imite la voix de Donald Duck à la perfection. Il fait rire toute la parenté. J'ajoute mon rire dans le lot, mon rire fabriqué de toutes pièces.

Je mens comme je respire. Et comme j'ai l'habitude de respirer abondamment (hé hé), on peut dire que je mens pas mal souvent. Pas mal tout le temps, même. Heureusement, je suis convaincante. On me croit presque toujours. L'inverse serait embêtant. Dire plein de mensonges et ne pas être crue, ce serait ennuyant.

Quand je dis à des inconnus que je suis une actrice américaine célèbre, on me croit. J'ai vraiment l'air d'une actrice américaine. Quand je leur dis que je suis orpheline, on me croit. J'ai vraiment l'air d'une orpheline. Quand je leur dis que je porte un autre nom que le mien, on me croit. J'ai vraiment l'air d'avoir le nom que je m'invente.

Même mes parents croient la plupart de mes mensonges. Prenons ma mère, par exemple. Quand je lui dis que j'aime les petits enfants, elle me croit. Elle pense qu'à mon âge, déjà, j'ai la fibre maternelle. Et pourtant, c'est faux. Les petits enfants, je les aime pas plus qu'il faut.

Mais parce qu'elle me croit, ma mère veut que j'aille voir Félix. Il a cinq ans. Il joue dans la chambre de ses grands-parents. Je n'ai pas envie de jouer avec lui. Je préfère jouer à l'espionne avec mes parents. Je préfère plisser les yeux, tendre l'oreille et écouter ce qu'ils disent, ce qu'ils se chuchotent.

Entre deux poignées de chips nature ondulées, ma mère caresse la cuisse à mon père. Je fais les yeux ronds. Voilà des mois que mes parents ne se touchent plus. L'amour ne circule plus entre eux. C'est comme si la guirlande musicale était débranchée. Le courant semble mort. Mais là, ma mère touche la cuisse à mon père. C'est presque exceptionnel ! C'est peut-être pour s'essuyer la main ? Étendre méchamment le gras des chips sur le jeans propre de papa ?

Et si c'était un geste tendre, pour vrai vrai vrai ?

Non, ce que je crois vraiment, c'est que ma mère est douée, elle aussi, pour faire semblant. Ça doit être de famille : prétendre que tout va bien alors que tout va mal.

— Ma chérie, va donc jouer avec le petit Félix. Il est tout seul dans la chambre de ta grand-tante. Je suis certaine qu'il aimerait ça, jouer avec toi. Vous êtes les seuls enfants, ici.

Je souris super fort, l'air de trouver sa proposition séduisante. La vérité, c'est que je ne veux pas bouger d'un poil. Je veux voir si la chimie est en train de ressusciter entre papa et maman. Car c'est possible. Une main sur une cuisse, c'est énorme, parfois. Et si le courant était en train de reprendre du service, entre mes parents ? Noël leur permettait peut-être de se rebrancher ? Je ne veux pas manquer ça !

Et si c'était l'œuvre de la guirlande de fausses feuilles de gui ? La tradition est bien connue : sous le gui, on s'embrasse. Et que fait-on sous toute une guirlande de feuilles de gui ? Est-ce qu'on tombe amoureux ?

Ou on *retombe* amoureux? (Car on dirait bien que mes parents s'étaient relevés de leur chute amoureuse.) Est-ce possible?

— Tu veux bien y aller? revient-elle à la charge.

— Oui, oui, maman. Bonne idée.

Terrible idée, oui!

Pourtant, mon sourire persiste. Je souris tellement fort que ma lèvre me fait mal. Je me suis blessée tantôt, en arrivant. En voulant dézipper mon manteau d'hiver, j'ai mordu dans mon collet, parce que j'avais juste une main de libre (l'autre tenait le cadeau pour nos hôtes). Résultat: la ferme-ture éclair s'est vengée sur moi et m'a mordue à son tour; ma lèvre inférieure s'est fait pincer par les dents de mon zip. Tout va mal. Absolument tout.

Sourire me fait mal. Mais je souris quand même. Je soupire sans que rien paraisse et longe le corridor menant à la chambre de la tante et de l'oncle de ma mère, les grands-parents de ce Félix. J'entends des mots derrière moi. On parle de ma bonté.

— Quelle bonne fille, aller s'amuser avec son petit-cousin ! s'exclame une tante lointaine.

— Elle est comme ça, notre fille : généreuse. Toujours généreuse, dit maman.

— C'est ben la fille à sa mère, remarque une autre tante encore plus lointaine.

— Pis à son père aussi ! rigole papa.

Félix est un enfant différent qui vit dans un monde différent. C'est ça que Marie-Claude, sa mère, m'a dit, ce soir. Je ne sais pas trop ce que ça veut dire, «être différent»… On est tous différents les uns des autres, il me semble. Je lui ai dit «Oh, je vois», mais je ne voyais pas.

Je crois que ce que Marie-Claude voulait me dire, au fond, c'est que son fils est bizarre.

Je suis donc prise pour aller me terrer dans la chambre de grands-parents qui ne sont pas les miens, avec un enfant bizarre qui n'est même pas mon cousin.

Dos à tout le clan Beaulieu, mes parents et la guirlande musicale, je me mets à grincer des dents. J'entrouvre la porte. Mais où est Félix ? Je ne le vois pas. J'ouvre un peu plus grand. Rien. Je ne vois qu'un amoncellement de manteaux sur le lit, dont le mien, avec la violente fermeture éclair qui m'a ravagé le sourire.

La montagne de manteaux gris, bruns et noirs détonne dans le portrait. La décoration est rose et mauve. Surtout mauve. Le tapis est mauve comme de la gomme balloune au raisin. On dirait une chambre de petite fille, mais avec des images religieuses sur les murs. Et partout autour, des mannequins en tissu. Ça a quelque chose d'étrange. Le décalage entre les couleurs de fillette, les images de Jésus et les mannequins beiges me donne froid dans le dos !

Ma tête est glissée dans la pièce, le reste de mon corps est dans le corridor. C'est silencieux, ici. On y entend mieux la tempête qui sévit dehors. Le vent siffle contre la grande fenêtre de la chambre.

Au bout d'un moment, la montagne se met à grouiller. Euh… pardon ? Un animal, ici ?

Puis une tête d'enfant souriant en émerge. C'est le petit Félix, probablement. Pareil à une couleuvre, le garçon se faufile parmi les manteaux. Il caresse les étoffes, les textiles, et nomme ce qu'il sent. Il porte des lunettes fumées. Félix tâte tous les manteaux, comme un aveugle. Je suis partagée. Je trouve ça ridicule, mais aussi un peu charmant.

— Liste de tout ce qu'il y a dans mon traîneau :

un manteau de chat

un foulard de mouton

une tuque de mouton

des gants de dinosaure

un manteau d'hippopotame

un foulard de serpent

un manteau de chien

pas rien pour les mains

ni pour le cou

ni pour la tête

un manteau de crocodile

un foulard de hamster

des mitaines de perdrix

un porte-monnaie en grenouille

avec de la monnaie comme des boutons de

manteaux.

À croire qu'il y a tout un zoo dans le lit de ses grands-parents ! Je le regarde fouiller dans les manches de manteaux des invités. Il n'est pas gêné ! S'il met les mains sur le mien, je le mords !

Mais il y a quelque chose d'attendrissant dans ce portrait, tout de même...

— Liste de tout ce que je pourrais m'acheter

au pôle Nord :

de la crème glacée à la noix de coco

de la crème glacée aux concombres

de la crème glacée aux carottes

de la crème glacée au poulet

de la crème glacée au ketchup

de la crème glacée à la relish

de la crème glacée à la moutarde.

Ark! Juste des saveurs dégoûtantes, oui! Et une autre liste sans queue ni tête, complètement étourdissante!

— Liste des amis avec qui je pourrais partager
  ma crème glacée:
  Kevin, Steven, Jason
  Sarah, Naya, Milva
  Jonathan, Laurent, Nathan
  Julie-Anne, Andrée-Anne, Carole-Anne
  Jean-François, Marc-François, Pierre-François
  et maman et papa, s'ils sont gentils...

Dans le corridor, des voix parviennent jusqu'à moi. «Mais est-ce qu'elle va rentrer plus que sa tête, ta fille?» Il ne m'en faut pas plus pour faire la bonne fille et entrer en entier dans la chambre. Quand je referme la porte, Félix remarque ma présence. Il m'envoie timidement la main. Je l'ignore et vais m'asseoir sur un coin du lit. Mon silence doit certainement le fasciner, car il s'extirpe de sa montagne féerique et marche tranquillement vers moi, comme s'il cherchait à m'apprivoiser. Pas question de me laisser approcher ! Pas question de me livrer !

Mon plan de match est simple : rester cinq ou dix minutes en silence avec ce petit-cousin étrange et visiblement aveugle, puis retourner avec les adultes en leur faisant croire que lui et moi avons développé une complicité exceptionnelle.

Enroulé dans un immense manteau de vison, Félix a l'air ridicule. Il regarde dans ma direction. Je me déplace lentement et délicatement. Mes pieds enveloppés de chaussettes de laine glissent sur le tapis mauve dans un silence sidérant. Mais il doit avoir les oreilles bien aiguisées, car sa tête suit tous mes déplacements. Ce ne sera pas facile de le mener en bateau.

— Ma mère est un rectangle.

Tant mieux pour elle !

Le petit Félix semble tout fier, derrière ses lunettes fumées hors contexte. Mais je ne réponds rien.

— Mais juste l'hiver !

L'été, elle est un triangle.

Et quand l'hiver se remet à neiger, elle redevient un rectangle.

Toi, ta mère est quoi ?

Un rectangle, elle aussi ?

Silence radio.

— Un cercle ?

Silence de mort.

— Un carré ?

Un losange ?

Silence d'outre-tombe.

— Tu as peut-être pas de mère ?

Tu as peut-être pas de langue ?

Il m'épuise déjà. Peu importe le coin de la chambre où je glisse, il tourne son visage dans ma direction. Je vais lui clouer le bec !

— J'ai une mère, j'ai une langue. J'ai juste pas envie d'être avec toi !

— Pourquoi tu es ici, d'abord ?

— Ma mère m'a tordu le bras pour que je vienne ici.

Félix se rapproche de moi et m'inspecte, comme un agent de police attentionné.

— Ton bras a pas l'air tordu...

— T'es pas aveugle ?

— Non, pourquoi ?

— Tes lunettes...

— Ce sont des lunettes 3D.

Je les ai prises au cinéma, quand je suis allé voir *Détestable moi 2.*

J'ai vu le film en trois dimensions !

Un, deux, trois !

Je pouvais toucher à tous les personnages.

Comme toi, je peux te toucher.

Avec mes lunettes, ton bras est en trois
dimensions :

longueur, largeur et profondeur !

Je tire sur mon bras. Je n'aime pas être
touchée comme ça.

Bon, il n'est pas aveugle, finalement. Il
est juste terriblement bizarre. Des lunettes
3D pour voir la vie en trois dimensions !
Franchement !

— La vie est déjà en 3D, nono !

— Non, non, non...

Ce sont des lunettes magiques.

Je vois mieux les choses avec.

Je vois que ton bras est pas tordu pour
vrai...

— C'est une expression, nono ! Ça veut
dire qu'elle m'a forcée. Élodie, Suzie, Coralie,
Émilie, Anne-Sophie, même Yannick, Cédrick,
Malik et Mic... tout le monde de ma classe
sait ça. T'es vraiment un bébé !

Je lui crache ça en riant un peu.

— Je suis pas un bébé!

Je vais à l'école!

— Wow!

Depuis quelques semaines, je m'efforce de devenir de plus en plus ironique. Être ironique, ça veut dire que je dis le contraire de ce que je pense vraiment, pour me moquer. Comme présentement. En disant «wow», je dis l'inverse de «wow». Je le dis sur un ton pas wow pantoute. Je suis effectivement zéro impressionnée. À cinq ans, j'allais aussi à l'école. Comme tout le monde, d'ailleurs! Il n'y a rien d'exceptionnel là-dedans!

— Enlève tes lunettes! Tu vas voir que je suis en 3D.

— Non, je veux les garder, je les enlève jamais.

— Même pour dormir?

— Même pour dormir.

— T'es vraiment nono.

— Non, je suis juste pas comme toi.

— Enlève-les, j'ai dit !

— Non !!

— Allez !

Comme je m'apprête à les lui arracher de force, Félix se met à crier. Il va ameuter toute la famille Beaulieu ! On croira que je suis méchante, que je lui ai fait de la peine, que je martyrise les enfants fragiles à l'abri des regards ! Et on ne me fera plus confiance…

— OK, OK, OK. Garde-les, tes maudites lunettes 3D ! Mais tais-toi !

— J'ai besoin de mes lunettes pour voir la vie en trois dimensions.

Sans elles, je vois en 2D.

Je vois la longueur et la largeur.

Mais il me manque la profondeur.

Mes lunettes 3D donnent de la profondeur aux choses.

Petit silence dans la chambre. Je tends l'oreille dans le corridor. Va-t-on venir s'informer du pourquoi de ce cri ? Non… On dirait bien que non. Fiou ! Je n'entends que la rumeur des discussions animées, des rires, de la musique, des festivités. Rien d'autre. Ici, c'est calme. Félix s'est tu. Il écoute le vent siffler contre la fenêtre. La tempête dehors semble l'attirer ; il va poser la paume de ses mains et sa joue droite contre la vitre. Il ressemble au Garfield à ventouses qui est fixé sur une des fenêtres de la voiture de ma mère.

Sans voir ses yeux, je sens que c'est un regard fasciné que Félix jette sur la tempête. Avec ses lunettes 3D magiques, il semble percevoir une profondeur supplémentaire au paysage hivernal. Quelque chose que moi, je ne perçois pas.

Je vais m'asseoir sur un coin du lit. Félix se retourne vers moi et réajuste les lunettes sur son nez pour mieux voir sa réalité.

— Si tu mélanges un porc et un mouton, ça donne de la porcelaine !

Et il se met à rire avec une légèreté que je n'ai plus. On dirait que je n'ai plus cinq ans depuis des siècles et des siècles.

— Tu parles bizarre.

— Maman dit que je parle en poèmes.

— Moi, je dis que tu parles en bizarre.

Mon petit-cousin se gratte la tête avec sa menotte d'enfant qui commence la maternelle.

— Pourquoi ta mère veut que tu viennes ici ?

— Pour que je joue avec toi. Elle m'a dit un truc comme : « T'aimes les enfants ! Va donc t'amuser avec Félix. Il est tout seul... » Mais c'est pas vrai. J'aime pas vraiment les enfants. Je fais semblant pour avoir l'air d'une bonne fille gentille. Mais non : j'aime pas du tout les enfants. Je les déteste !

— Tu es une enfant toi-même !

C'est le temps de mentir comme je respire.

— J'ai dix-huit ans, nono ! Je pourrais être ta mère !

Félix me regarde, incrédule. Il n'en croit pas ses yeux. C'est ma maturité qui l'éblouit.

— Tu as pas dix-huit ans...

Tu en as neuf !

Ma mère m'a dit que, ce soir, il allait y avoir une petite-cousine de neuf ans.

C'était ça, ses mots.

« Ce soir », « petite-cousine de neuf ans ».

C'est toi, la petite-cousine de neuf ans.

Il agite ses doigts en l'air comme s'il allait compter jusqu'à neuf. J'ai envie de piler sur ses doigts tout fragiles. Mieux : j'ai envie de zipper une fermeture éclair sur ses lèvres. Que le zip le fasse taire.

— J'ai vraiment dix-huit ans ! Ta mère connaît rien ! Et puis, neuf ou dix-huit, c'est tout près. Multiplie neuf par deux et ça me fait dix-huit ans. On va pas jouer sur les chiffres ! Je suis sur le bord d'être une adulte, moi. Je suis presque une femme ! Toi, tu es juste un bébé. Tu as quatre ans !

— Cinq !

— OK, cinq, d'abord. Ça me va. On va pas jouer sur les chiffres, que je t'ai dit !

La porte est close ; j'ai le champ libre. Je me mets à arpenter la pièce. Je regarde tout ce qu'il y a dans la chambre. Félix m'observe silencieusement. Je me rends à la commode. J'ouvre un tiroir ou deux, juste pour provoquer le petit gars assis sur un trône de manteaux.

– C'est mal de fouiller.

– C'est mal de ne pas se mêler de ses affaires !

Dans les tiroirs, rien d'intéressant. Beaucoup de tissus, des tomates d'acuponcture avec plein d'aiguilles piquées dans le coton, des rubans à mesurer...

– Tu veux pas jouer à quelque chose ?

– Non.

– S'il te plaît...

– Ça me tente pas !

– On est les seuls enfants du party.

Il me semble qu'on pourrait...

– Je suis pas une enfant, que je t'ai dit !

– OK.

– On joue à être silencieux. Le premier qui parle perd.

– OK.

Je suis géniale. Bravo moi ! Quelle bonne idée pour avoir la paix ! Un grand calme envahit momentanément la chambre. Ne reste que la rumeur des festivités de la salle à manger et celle de la tempête qui sévit dehors. On dirait une bouilloire qui n'en finit plus d'arriver à son paroxysme. Au bout d'un moment, une bourrasque gifle violemment la fenêtre. En sursautant, Félix échappe un son. Je crie ma victoire :

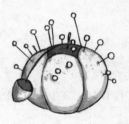

— J'ai gagné ; tu as perdu !

— C'est la tempête !

— Tu as eu peur ?

— Non, c'est la surprise !

– Tu devrais avoir peur; on annonce la tempête du siècle. La tempête du siècle pour Noël! Il fait un temps à rester à la maison et à se cacher sous son lit.

– Je sais, on a failli pas venir ici à cause de ça.

– Nous aussi. Mais je suis contente qu'on soit venus quand même…

J'ai dit ça sans penser à Félix. C'est sorti tout seul. Les sourcils derrière les lunettes noires se haussent d'un cran, animés par la joie.

– Pour vrai?

À cause de moi?

– Hein? Non! À cause des chips et des chocolats qu'on nous sert ici. Mes parents en achètent jamais…

– Ma grand-mère m'a préparé un bol de chips juste pour moi.

Tu peux en prendre, si tu veux.

— Bof, non, c'est des nature. Ça goûte rien...

— Moi, les chips nature, c'est mes préférées.

Tu as juste à te faire aller l'imagination

et à penser aux saveurs que tu aimes :

des chips à la noix de coco

aux concombres

aux carottes

au poulet

au ketchup

à la relish

à la moutarde

à ce que tu veux.

Une chips nature, c'est comme une feuille blanche,

tu y dessines ce que tu veux.

Si tu imagines très fort, la chips nature goûte ce que tu veux.

— Tu parles en français aussi, ou juste en bizarre ?

Et vlan dans les dents, petit enfant !

Je plonge la main dans le bol de chips en m'en sers une poignée. C'est salé et ondulé sur la langue. J'aime ça. Ça goûte les fêtes ou les jours de congé. Ça goûte un moment exceptionnel. Derrière ses lunettes 3D, Félix me regarde patiemment, le sourire aux lèvres. On dirait un chien qui attend son maître. On l'insulte et il frétille quand même de la queue. Bon chien, donne la patte…

— Et puis, et puis... ça goûte quoi ?

— Ça goûte rien pantoute.

Me voyant finir le bol, Félix fronce les sourcils. Je mange toutes les chips, puis frotte mes mains l'une contre l'autre au-dessus du lit. Ça gêne mon petit-cousin.

— Euh... il faut juste pas trop faire de miettes dans le lit.

C'est ce que ma grand-mère a dit...

— On s'en fout! Ça ressemble à des petits flocons de neige!

Je fais des miettes par exprès sur les manteaux des invités. Je suis terrible! Hé hé hé.

— Oui, mais ça fond pas...

— Wow. Tu t'y connais en neige, à ce que je vois.

Je suis la reine de l'ironie. Je suis froide comme la reine des neiges!

— Ma mère dit que l'hiver, c'est un animal qui a la rage,

que le froid peut te mordre au visage et que tu peux ne pas t'en remettre!

— Je te rappelle que ta mère est un rectangle. Un rectangle, ça en dit des niaiseries!

— Liste des formes géométriques:

cercle

carré

triangle

losange

et rectangle!

— Tu oublies pentagone, hexagone, octogone...

Je suis très douée pour péter la balloune des gens. Et péter celle de Félix, c'est particulièrement facile!

— Je connais pas ça...

— Parce que tu es un bébé! C'est normal! Tu connais rien encore!

— Tu as une mère géométrique, toi?

— Non, tu es le seul! Chanceux!

Félix ne semble pas percevoir mon ironie et drape un mannequin de couture du manteau de sa mère. Dehors, le vent siffle toujours contre la vitre. Le sapin se tord de douleur. Je le comprends. La vie est dure.

Je me passe la langue sur les dents pour enlever le goût de salé. Il me faudrait une gomme. Je fouille dans mes poches et déballe un *chewing-gum*. Je mâche, je mâche, et bientôt, mes bulles prennent une ampleur olympique avant d'éclater. Chaque fois que ma gomme mauve se prend pour une montgolfière, je sens les yeux ronds de Félix derrière ses verres fumés 3D. Il est impressionné par moi. Faut le comprendre.

Au bout d'un moment, le faux aveugle de cinq ans détache son attention de moi et regarde le mannequin comme s'il allait se transformer en maman. La sienne.

— L'été, ma mère a chaud.

Elle porte des jupes ou des robes
et elle se transforme en triangle,
alors que l'hiver, elle frissonne.
Elle s'emmitoufle dans un large manteau de chat
avec des épaulettes et des foulards de chat.
Elle se cache complètement dans son
manteau.
Même sa tête disparaît là-dedans
et on ne voit plus qu'un rectangle marcher
dans la neige.
Ma mère est un rectangle doux dans lequel
j'aime me blottir.

— C'est pas un manteau de chat; c'est un manteau de fourrure !

— De fourrure de chat !

— Non, de fourrure de vison! Présentement, tu t'enfouis le nez dans un corps de vison!

— C'est pas grave,

c'est doux quand même.

Ma mère, c'est un rectangle en poil de chat

rassurant.

— Moi, ma mère est pas douce; elle porte un manteau de jeans. C'est pas doux, du jeans!

Je me rends au lit des grands-parents, là où la montagne de manteaux s'élève. Je fouille et y trouve celui de ma mère, que je lance sur la tête de Félix. Je le lui lance sans férocité. C'est plus pour le faire rire, même s'il ne rit pas. Il fait seulement le surpris et tente de deviner le textile.

— On dirait un manteau en peau de dinosaure

ou de grenouille

ou un mélange de dinosaure et de grenouille.

Ça doit pas être chaud pour l'hiver, non?

— Ma mère préfère avoir froid que de pas être belle. Elle se trouve belle dans son manteau de jeans.

Je lui vole le manteau des mains et le mets à mon tour sur un mannequin de couture. On dirait que ça lui donne vie, que ma mère apparaît sous le jeans.

— Été comme hiver, ma mère fait semblant d'avoir chaud. Elle porte des jupes en accordéon, comme un abat-jour, des jupes de tennis très courtes — même si elle ne joue pas au tennis. Elle porte ça pour mettre ses jambes en valeur. C'est ça qu'elle dit : « Je mets mes jambes en valeur. » Elle prend froid, mais en beauté. L'hiver, elle passe son temps à éternuer. Elle montre ses belles jambes et soigne son rhume comme elle peut. Regarde dans les poches de son manteau de grenouille ! Tu veux faire la liste ? On trouve juste des bâtons de baume à lèvres, des pastilles pour la gorge et mille kleenex avec de la lotion dedans, presque tous en boule. C'est des kleenex qui ont du vécu ! Tu peux vérifier !

Félix va valider le contenu des poches du manteau de jeans.

— Liste des poches de la cousine à ma mère :

Un rouge à lèvres... transparent !

Des bonbons sucrés... transparents aussi !

Et plein de balles de neige qui fondent pas !

Il tient dans ses mains des mouchoirs chiffonnés et les lance vers moi, comme si c'étaient de véritables balles de neige. Je reçois une boule de kleenex sur la joue. Ça me met hors de moi.

— Arrête ! T'es dégueu ! C'est des kleenex pleins de rhume ! Tu veux que je tombe malade! Tu veux que je sois comme ma mère, c'est ça?

— Je m'excuse...

C'était une blague.

— C'est pas drôle!

— Je voulais juste jouer...

Je lâche un énorme soupir d'exaspération avant d'exploser:

— T'as pas compris? JE NE VEUX PAS JOUER AVEC TOI!

Sans crier gare, j'arrache les lunettes 3D de sur son nez et les lance contre un mur. Elles passent à deux centimètres d'un Jésus crucifié. Petit son de plastique craqué, puis silence. Oups. Qu'est-ce que j'ai fait? Qu'est-ce qui m'a pris? J'ai encore exagéré. J'exagère tout le temps.

Félix se rue sur les lunettes. Je le suis. Je le vois, penché sur le dégât. Une branche a cassé. Il la tient piteusement dans sa main.

Je prends l'autre branche, encore rattachée aux lunettes. Il ne me traite pas de méchante, de sans-cœur, de cruelle. Il ne dit rien. Son silence me fait encore plus mal. Il finit par poser sur moi un regard qui m'arrache le cœur. La couleur de ses yeux est magnifique. Pourquoi cacher derrière des lunettes noires ses beaux yeux de biche ?

— Ça coûte rien, ces lunettes-là…

Félix ne répond pas.

— On les donne au cinéma…

Il ne dit toujours rien.

— Je vais les réparer.

Je lui prends des mains la branche cassée et l'assemble avec les lunettes. Pour les coller ensemble, j'utilise ma gomme balloune mauve.

— Tu vois, elles sont comme neuves, tes lunettes. Pis en plus, maintenant, elles sentent le raisin !

Félix sourit un peu, enfin. Il remet ses lunettes sur son nez. Le joint de *chewing-gum* mauve dépasse. Il juge son effet dans un miroir.

— Tu veux une gomme balloune ? Quand t'en auras fini avec elle, on la collera autour de l'autre branche. Ça sera symétrique. Un joint mauve de chaque côté ! C'est beau, la symétrie. Tu trouves pas ?

Pour toute réponse, mon petit-cousin déballe la gomme que je lui tends. Pendant qu'il tente de faire des bulles ridiculement petites, je remets dédaigneusement les mouchoirs chiffonnés dans la poche du manteau de ma mère, toujours sur le mannequin de couture. Pour divertir un peu Félix, je retire le gros abat-jour en accordéon d'une des lampes de chevet et l'installe autour du bassin du mannequin, comme une jupe de tennis.

— J'aimerais ça des fois que ma mère soit en fourrure, elle aussi. Peu importe en fourrure de quoi. De chat, de chien, de lapin, de vison, de n'importe quoi. Juste de la fourrure, un peu. Ma mère tient pas au chaud. Elle est pas douce. Elle est rugueuse et froide dans son manteau de reptile. J'ai aucune raison de me blottir contre elle, moi.

Félix parvient à faire éclater une bulle de gomme particulièrement grosse.

— Si elle sent bon, c'est une bonne raison.

Ma mère sent la neige mouillée.

Dans ses poils de chat, elle sent toujours frais.

La tienne sent quoi?

— La mienne sent bon aussi; elle sent la crème glacée à la vanille.

— Tu vois!

Ça te fait une bonne raison de te blottir contre sa peau de dinosaure!

Je me reprends une autre gomme mauve. Ça sent comme une explosion de raisin dans la chambre mauve. Félix s'assoit sur un coin du lit, face au mannequin habillé du manteau de fourrure de sa mère. Je m'assois sur l'autre coin, face au mannequin habillé du manteau de jeans de ma mère. Portrait symétrique. C'est forcément beau.

Nous regardons nos mamans respectives, évoquées par leur manteau. Celle de Félix ressemble effectivement à un rectangle, alors que la mienne fait penser à un sablier, avec la taille fine du mannequin, comme la vraie taille de guêpe de maman. Mon petit-cousin, avec ses lunettes 3D réparées, est suffisamment sensible aux formes géométriques pour percevoir la différence entre nos mères.

— Ta mère a la forme d'un sablier !

– Peut-être, oui. Mais un sablier vide. Avec pas de sable dedans !

– Oh, on fait comment

pour calculer le temps avec un sablier vide ?

– On le calcule plus. Le temps s'est écoulé en bas de la jupe. Il est fini, *kaput*.

Félix ne semble pas comprendre ce que je viens de dire. Il ne faut tout de même pas trop en demander à un enfant de cinq ans qui parle en bizarre et qui voit la vie avec des lunettes de cinéma. De toute façon, je ne suis pas certaine moi-même de savoir ce que j'ai voulu dire !

– Si on essaie de compter jusqu'à l'infini-loin,

est-ce que ça continue après notre mort ?

Je ne trouve aucune réponse à ça. Alors je me tais en fronçant les sourcils, comme si je trouvais Félix ridicule.

– Nos mamans se ressemblent pas beaucoup, hein ?

— Vraiment pas !

— Même si elles sont cousines.

— Tu es mon petit-cousin et tu me ressembles pas.

— C'est vrai.

La lumière provenant des lampes et de la neige derrière la vitre se transforme un peu. Les ombres des mannequins gagnent en ampleur. C'est presque effrayant, voir ces ombres fantomatiques sur les murs mauves. C'est comme si on allait être avalés par elles.

Avec ses lunettes 3D, Félix semble lire dans la profondeur de ma peur soudaine.

— Ma grand-mère était couturière.

C'est pour ça, les mannequins.

Elle faisait presque tout :

des robes de nuit

des robes de jour

des robes de soirée

des robes d'été

des pantalons

des bermudas

des vestes avec des boutons

des vestes avec des fermetures éclair

des vestes qui se ferment pas

des manteaux de printemps

d'automne

d'hiver

mais pas des manteaux d'été.

Ça sert à rien, un manteau d'été.

Il fait trop chaud pour ça.

Et si jamais il fait plus froid,

tu peux mettre ton manteau de printemps
    ou d'automne.

C'est pratique.

Grand-maman a arrêté de coudre.

Elle fait de l'arthrite.

Ça veut dire qu'elle a mal quand elle tient
    des choses dans sa main.

C'est pas pratique quand tu tiens une aiguille.

Ma grand-mère, c'est pas ta grand-mère?

— Non, c'est la tante à ma mère. Donc ta grand-mère, c'est ma grand-tante.

— C'est compliqué.

— C'est juste que tu es pas assez intelligent.

Je m'efforce un peu pour que ça ne sonne pas trop méchant. Ça sonne plus taquin que méchant.

— Je suis intelligent!

— Tu connais même pas les membres de ta famille!

— Pas vrai! Liste des membres de notre famille :

les mesdames :

ma mère

ma grand-mère

matante Fleurette

matante Yvette

matante Ginette

matante Gilberte

matante Paulette...

— Arrête avec tes listes! Tu m'épuises!
Tu as la maladie des listes, ou quoi?

— Les messieurs:

mon père

mon grand-père

mononcle Hubert

mononcle Pierre

mononcle Robert

mononcle Gilbert...

— OK, OK, OK! Tu connais ta famille,
c'est beau! Tais-toi, un peu!

— Il y a juste tes parents que je connais pas,
c'est parce que vous venez jamais ici.

— Et moi! Moi, tu me connais pas!

— Je te connais un peu.

— Ah oui? Tu penses? OK, je m'appelle
comment?

Félix replace ses lunettes sur son nez, comme s'il voulait mieux me lire. Comme si mon prénom était inscrit quelque part sur moi, seulement déchiffrable avec des lunettes 3D.

— Je sais pas.

J'ai oublié.

Je me cherche rapidement un prénom. Je fouille les lieux des yeux. Je tombe sur un manteau Kanuk.

— Je m'appelle… Je m'appelle Kanuk !

— Kanuk ?

J'ai jamais entendu ça...

Quel nom unique !

— C'est que c'est un nom très ancien.

— Wow !

Tu as déjà ton nom d'adulte?

— Comment ça, « mon nom d'adulte » ?

— Ben moi, je m'appelle Félix!

Je porte un nom d'enfant.

Un garçon dans ma classe à l'école a déjà son nom d'adulte.

Il s'appelle Gaétan.

Comme s'il avait dix-huit ans et plus.

— OK... Et toi, quand tu vas être un adulte, tu vas changer de nom?

— Mais oui, évidemment!

Je vais me choisir un nom d'adulte.

Je souris; je le trouve terriblement *cute*.

— Et quel nom voudrais-tu?

— J'ai pas encore choisi.

Mais pas Gaétan.

J'aime pas trop.

Je vais en choisir un plus beau.

Réal, ce serait un beau nom.

C'est ce qui est écrit sur la branche de mes
  lunettes, il paraît.

Réal 3D.

Oui.

Plus tard, quand j'aurai dix-huit ans et plus,

je m'appellerai Réal 3D !

Je ris dans le col de mon chandail, pour que ça ne paraisse pas.

— Alors, moi, je m'appelle Kanuk et j'ai les dix-huit ans qui vont avec mon prénom. Je suis une actrice américaine. Je joue dans des films très populaires et très palpitants. Des films très songés que tu regarderas jamais, parce que tu pourras jamais les comprendre, parce que tu es trop petit.

— Je suis assez grand pour savoir que tu me mens.

— Je mens pas. Je suis Kanuk pour de vrai. J'ai vraiment dix-huit ans. Je suis vraiment une actrice américaine et je suis vraiment connue partout dans le monde. Il n'y a que les nonos comme toi qui ignorent qui je suis.

— Je te crois pour presque tout.

Que tu t'appelles Kanuk : je te crois ;

que tu es une actrice américaine : je te crois ;

que tu es connue partout dans le monde : je te crois ;

mais je suis sûr que tu as neuf ans !

— Tu es pas obligé de me croire !

— Mais si...

si je te crois que tu as dix-huit ans, Kanuk, voudras-tu jouer avec moi ?

— Non, désolée, Félix, mais non. Jamais je jouerai avec toi. Tu es sourd ? Je déteste les enfants. J'aime ça leur faire mal ! Fais attention à toi : je pourrais t'enrouler dans le manteau de vison de ta mère jusqu'à ce que tu manques d'air tellement il fera chaud. Je pourrais te pousser par la fenêtre pour que tu manques d'air tellement il fera froid !

Je joue à la méchante cousine. J'essaie d'être terrifiante et cruelle. Ça fonctionne, Félix semble effrayé. Mais peut-être que j'en ai mis un peu trop ?

— Pourquoi ta mère voulait que tu joues avec moi si tu me détestes autant ?

— Je te l'ai dit, tête pleine de vent ! Je mens à ma mère. Elle est certaine que j'aime les enfants. Je suis une actrice américaine ; je peux faire croire n'importe quoi aux gens. Quand j'avais ton âge, à Noël, je faisais des listes comme toi, je faisais ma liste de cadeaux, je demandais toujours des poupées. Toutes sortes de poupées. Des grosses, des petites, des blanches, des brunes, des muettes, des qui-parlent, des qui-rotent, des qui-pètent, des qui-clignent-des-yeux-quand-on-les-secoue. Je faisais semblant de les dorloter devant ma mère. Mais dès qu'elle avait le dos tourné, je leur menais la vie dure. Je leur mettais du dentifrice dans les cheveux et je leur faisais un masque de beauté avec du Nutella.

Je lâche un rire qui se veut machiavélique. Je suis terrifiante. Félix frissonne, tant je suis convaincante.

— J'étais terrible, mais ma mère ne remarquait rien. Après mes séances de coiffure et de maquillage, je faisais tremper mes poupées au chocolat dans mon bain, pour les rendre propres. Ma mère pensait que je développais mon instinct maternel. Raté. Je me pratiquais pour devenir une actrice américaine. Je faisais semblant.

— J'aime ça, faire semblant, moi aussi.

— Ça fait pas de toi un acteur américain pour autant !

— Je veux pas devenir acteur américain.

Je veux juste jouer.

— Pas avec moi ! Trouve-toi d'autres amis !

— Il y a pas d'autres enfants.

On est les seuls.

— J'ai dix-huit ans, tête pleine de vent !
Je suis plus une enfant ! ! !

— D'abord, je suis le seul.

— Oui, tu es le seul. Tu es tout seul, tout
seul…

Un long moment pendant lequel mon
petit-cousin ne dit plus rien. Dehors, une
grosse bourrasque retentit. Félix, comme
aimanté par le bruit, se colle dans la fenêtre.

— On dirait qu'il fait de plus en plus froid.

— C'est parce que tu as le nez collé à la
fenêtre !

Il enfile son manteau vert lime. Un
manteau ridicule.

— Pourquoi tu ris ?

— Ton manteau me fait rire.

— Qu'est-ce qu'il a de drôle ?

– Tout ! La coupe, la couleur, la texture…
C'est un drôle de manteau. Il te va bien !

– Merci.

Félix glisse les mains dans ses poches.
Il sourit comme un amoureux. Il fait exprès
pour m'intriguer !

– Qu'est-ce qu'il y a ?

– C'est doux.

Ma mère brode des cœurs de satin doux

à l'intérieur des poches de mon manteau d'hiver.

C'est pour me rappeler qu'elle m'aime.

Quand il fait froid

et que j'ai l'impression que mes doigts vont tomber

tellement ils sont glacés,

j'enlève mes mitaines et je touche les cœurs

de satin doux.

Ça me réchauffe.

– C'est nono ! Si tu as froid, tu dois pas
retirer tes mitaines !

— C'est les cœurs de satin doux de ma mère
qui me réchauffent.

Tu peux pas comprendre,

ta mère t'aime moins que la mienne.

Quoi ? Mais qu'est-ce qu'il dit, lui ? De quoi il se mêle ? Félix semble avoir peur des flèches que mes yeux lui lancent, car il précise instantanément sa pensée.

— Son manteau est dur comme de l'asphalte.

C'est sûr qu'elle brode rien dans tes poches. Non ?

— Elle brode rien, mais ça veut rien dire. Elle a juste pas le temps de faire des niaiseries comme ça…

— Elle est occupée à soigner son rhume ?

Je ne réponds pas. Je me dirige simplement vers la porte. Félix me rattrape avec sa voix en 3D, pleine de profondeur :

— Tu vas où, Kanuk ?

Il y a tant d'inquiétude et d'amour dans sa voix d'enfant. Je me sens presque comme une mère qui abandonne son fils dans une forêt maléfique !

— Je vais aux toilettes. J'ai le droit ?

— Oui, oui...

Tu vas revenir, dis ?

— On verra…

Je sors de la chambre mauve et me dirige vers mes parents.

Dans la salle à manger, je cherche ma mère des yeux. Sa main n'est plus sur la cuisse à papa, qui est d'ailleurs absent. Elle tient plutôt des cartes à jouer, comme les autres femmes autour d'elle. Elles jouent à la Dame de pique, à ce que je comprends. Les hommes ne sont pas là. Il n'y a que les femmes de la famille Beaulieu qui entourent ma mère. C'est maman la plus belle, même si elle passe son temps à se moucher.

Cette femme légèrement habillée qui passe son temps à se moucher m'aime-t-elle, même si elle ne brode pas des cœurs de satin à l'intérieur de mes poches ? Lui reste-t-il encore de l'amour, ou bien mon père a-t-il épuisé tout son réservoir ? Est-il possible d'épuiser le réservoir d'amour de quelqu'un ?

Ma mère a toujours eu les mains glacées. Mon père était chargé de les réchauffer. Elle disait : « Mon amour, réchauffe-moi ça. » Elle tendait ses mains à papa, qui soufflait sur ses doigts gelés avant de les glisser tendrement sous ses bras, là où il fait chaud. Maintenant, maman se réchauffe les mains elle-même, comme elle le peut. Elle les glisse sous ses propres bras.

Je porte mes doigts à mes joues. Ils sont frais, même si la maison est chaude. Ma mère m'a légué ses mains glacées.

La vérité, c'est que je ne dirais pas non à des cœurs de satin brodés à l'intérieur de mes poches.

— Et puis, ma chérie ? C'est l'amour fou entre Félix et toi ?

Les yeux de ma mère ont abandonné son jeu de cartes. La voilà convaincue que je suis une bonne petite fille aimante.

— Oui, oui. Il est adorable…

— Ça clique toujours entre ma fille et les plus petits qu'elle ! se vante ma mère aux autres femmes.

— Elle est ben fine. Elle retient pas de la voisine ! dit une grand-tante.

— Tu vas-tu y retourner ou tu viens jouer aux cartes avec nous ? demande une autre.

— Je vais y retourner. Sinon Félix va être seul. Ce serait plate. Surtout le soir de Noël…

— Elle est donc ben fine, ta fille, Claudine !

— Je sais. Je suis ben fière d'elle.

Ma mère serait donc fière de moi? Je souris. C'est plus fort que moi.

— Il est où, papa?

— Il est à la cave. Il joue au billard avec tes mononcles.

Ce ne sont pas *mes* mononcles. Je ne les connais pas. Tout ce que je sais d'eux, c'est qu'il y en a un d'édenté !

— Les hommes nous ont laissées toutes seules, entre femmes. Mais c'est ben correct. On n'a pas besoin d'eux pour avoir du fun ! Hein, les filles? s'exclame une dame un peu trop âgée pour se qualifier de « fille ».

— Non ! On n'a pas besoin d'eux ! répète ma mère.

Ça m'attriste, entendre ça. Je voudrais que maman ait viscéralement besoin de papa. Je voudrais qu'elle lui flatte la cuisse, comme avant. Je voudrais que mon père lui réchauffe les mains plutôt que d'aller jouer au billard au sous-sol.

Je la regarde déposer sur ses cuisses son jeu de cartes pour se frotter les mains. Elle se les réchauffe elle-même. Je m'en rends bien compte. Et ça semble moins efficace.

— Qui gagne ? que je demande.

— Ta mère ! se plaint une tante éloignée.

— C'est mon jour de chance, on dirait ! s'amuse ma mère en reprenant ses cartes. C'est peut-être le temps des fêtes qui fait ça ?

Oui, c'est peut-être le temps des fêtes. Peut-être aussi que tout est encore possible entre mes parents ? Que la chance va revenir, et l'amour aussi ? Peut-être que le temps des fêtes va souffler un vent nouveau sur leur couple qui bat de l'aile ?

Un sifflement aigu du vent me ramène à la réalité. Est-ce que Félix tremble de peur dans sa montagne de manteaux ?

— Bon, ben, je retourne voir Félix. Il doit trouver le temps long sans moi. Bonne partie de cartes !

Je retourne dans le corridor, chargée de la musique et des compliments reçus dans la salle à manger. Quand je rouvre la porte de la chambre mauve, je vois que Félix attendait patiemment mon retour de la salle de bains, les pieds plantés dans les poils longs du tapis.

— Félix, est-ce qu'on regarde dans les poches des autres manteaux, voir qui a des petits cœurs brodés ?

— C'est comme un jeu ?

— Si on veut.

— Ouiii !

Tout comme moi, Félix se met à fouiller dans les poches des manteaux des invités. Je suis la première à piger dans la montagne. Je tombe sur un manteau en tweed gris.

– Dans celui-là : un cellulaire dans son étui, une tablette de chocolat à moitié fondue, mais pas de petit cœur.

Félix m'imite en étudiant les poches d'un manteau noir.

– Dans celui-là :

un trousseau de clés

un paquet de gommes

un paquet de cartes

mais pas de petit cœur.

Je poursuis.

– Dans celui-ci : une clé toute seule, un livre de pensées, un programme de spectacle avec une gomme collée, mais pas de petit cœur.

Au tour de Félix.

— Dans celui-là :

des bonbons

de la monnaie

un billet de loterie

mais pas de petit cœur.

J'arrache le billet de loterie des mains de Félix.

— Yeah ! Le tirage est dans deux jours !

En disant ça, je le glisse dans la poche de ma veste. Mon petit-cousin est sous le choc, comme si j'avais éventré la douillette du lit de ses grands-parents à grands coups de ciseaux.

— Tu le voles ?

— Je vais peut-être devenir riche !

— Oui, mais c'est un vol.

— C'est un prêt. Si jamais je gagne le gros lot, je vais lui rembourser le coût du billet. Il aura rien perdu !

— Mais on ne sait même pas c'est à qui.

— Crois-tu vraiment qu'il a besoin d'argent ? Quelqu'un qui a autant de monnaie dans le fond de ses poches a pas besoin de gagner le gros lot !

— Et toi, Kanuk ? Tu as besoin de gagner le gros lot ?

— Oui. Je suis une actrice américaine. Il me faudrait de l'argent pour retourner jouer dans mon pays.

— Tu n'es pas d'ici ?

— Mais non, nono ! Je suis américaine, que je t'ai dit. Ça veut dire que je viens des États-Unis. Je joue dans des films avec Zac Efron, Robert Pattinson, Daniel Radcliffe. Mes parents m'ont adoptée après m'avoir vue dans des films. Ils me trouvaient trop belle à l'écran. Ils sont venus me chercher aux États-Unis, m'ont achetée à mes vrais parents et m'ont emmenée vivre avec eux ici, où il fait très froid. Dans mon pays, il y a juste des tempêtes de sable.

— Wow! Tu avais quel âge quand tes parents t'ont achetée?

— J'étais jeune : quatre ans! J'avais ton âge!

— J'ai cinq ans!

— Comme tu veux…

C'est clair que Félix me croit. Il est tombé dans le panneau, comme tous les autres!

— Tu dois t'ennuyer de tes vrais parents?

— Oui et non… Je m'ennuie surtout de mon métier. Zac, Robert et Daniel ont hâte de rejouer avec moi.

— Je les connais pas…

– Ce sont pourtant les plus grands et les plus beaux acteurs américains.

– Tu jouais en anglais ?

– Oui, évidemment.

– Dis-moi une phrase en anglais.

Il commence à m'énerver avec ses questions qui n'arrêtent pas, lui !

– *Howdouyoudou* ?

– Ça veut dire quoi ?

– Je pense pas que tu comprendrais.

– Essaie !

– C'est trop compliqué à traduire !

– OK.

Félix est déçu, mais je replonge dans le jeu de fouillage de manteaux avec tant d'entrain qu'il est obligé de s'y remettre lui aussi.

– Dans ce manteau-là : des reçus d'épicerie, des tickets de métro, des billets de cinéma déchirés, mais pas de petit cœur.

Félix prend un manteau en velours côtelé vert forêt.

— Dans celui-là : rien du tout !

Et même pas de petit cœur !

— Dans celui-ci : une boîte de Tic Tac pour avoir l'haleine fraîche et un flacon d'alcool.

J'en prends une minigorgée pour impressionner mon petit-cousin, qui ne voit même pas qu'il s'agit plutôt d'une bouteille de sirop contre la toux.

— T'as pas le droit !

— J'ai dix-huit ans ; j'ai l'âge légal !

Félix s'incline devant ma maturité et poursuit le jeu.

— Dans celui-là : un numéro de téléphone avec un petit cœur à côté !

J'éclate de rire. Un amoureux secret ?

— Quel nom ?

— K-I-M. Ça donne quoi ?

– Kim !

– Personne s'appelle Kim, ici.

Hein, Kanuk ?

– Peut-être une mystérieuse amoureuse ?

Alors que Félix pouffe de rire, je réalise à qui appartient le manteau contenant le numéro de téléphone. J'arrache le papier de ses mains.

– Tu as pris ça dans ce manteau-là ?

– Oui...

– Tu fouilles plus jamais dans les poches de ce manteau-là ! T'as compris, tête pleine de vent ?

– Pourquoi ?

T'as dit qu'on avait le droit !

— On a le droit dans tous les autres manteaux, sauf ceux de mes parents et le mien. Tous les autres, sauf nous !

— C'est le manteau de ton père ?

— Oui.

— Ton père adoptif ?

— Hum-hum.

Il m'épuise avec sa qualité d'écoute exceptionnelle !

— Ta mère adoptive s'appelle comment ?

— Claudine, pourquoi ?

— Pas Kim.

Je prends un moment pour réfléchir.

— Kim, c'est son surnom.

— Kim, c'est le surnom de Claudine ?

— Oui, c'est quoi le problème ?

— Ça se ressemble pas tellement.

— Ton surnom à toi, c'est bien « tête pleine de vent » et ça ressemble pas à « Félix » !

— Je m'excuse.

Félix se met à palper le manteau de mon père.

— C'est un drôle de manteau

c'est dur

c'est lisse

c'est froid

c'est un manteau d'hippopotame?

— C'est du cuir, tête pleine de vent!

— Ton père est un motard?

— Oui, il fait partie des Hells Angels.

— C'est quoi, les Hells Angels?

— Une mafia de gars en cuir, avec des grosses barbes. Ils font des affaires pas catholiques.

— Ton père a pas de barbe ; je l'ai vu tantôt.

— C'est un petit Hells Angels. Il commence.

Je mets le manteau de mon père sur un mannequin, lui donnant ainsi vie. Félix en fait autant avec un autre manteau, immense, à côté de celui de sa maman.

— C'est à mon père, ça.

— Il est long !

— C'est que moi, mon père, il est grand.

   Si c'était un Hells Angels, ce serait un grand
      grand Hells Angels !

   C'est un géant, mon père.

   Il fait plusieurs kilomètres.

   Plus de six, je pense !

— Tu mêles tout. Ça se peut pas, six kilomètres. Six pieds, ça se peut. Mais des kilomètres, c'est long comme une autoroute.

— Mon père est long comme une autoroute !

— C'est ça, oui ! Et c'est l'été dehors !

Mon ironie n'est jamais cachée bien loin.

Dehors, une bourrasque menace de faire éclater la fenêtre. Elle est tellement forte que nous sautons dans le lit, Félix et moi.

— C'est réconfortant, être dans les manteaux,
   tu trouves pas ?

C'est comme si rien ne pouvait nous arriver.

– Oui, c'est comme si.

Et c'est vraiment vrai que c'est rassurant. Je regarde les mannequins qui portent les manteaux de papa et de maman. On dirait que mes parents, les deux ensemble, veillent sur moi. J'imagine que c'est la même chose pour Félix.

– Il y a tellement plein de manteaux,
	tu pourrais plonger dans le lit, Kanuk,
	faire la liste des sortes de manteaux avec
	moi.

– Je m'y connais un peu en tissus. J'aime bien la couture, moi aussi.

– Comme ma grand-maman?

– Comme ta grand-maman.

Félix me tend des manteaux pour que j'en palpe l'étoffe.

– Le manteau de lapin, c'est...?

– De la laine.

– Le manteau de souris, c'est... ?

– Du velours.

– Le manteau de canard, c'est... ?

– Du plastique.

– Du plastique ?

– Oui, du caoutchouc, du vinyle, du plastique pour les impers... La pluie ne peut pas les traverser.

– Comme un canard !

La pluie glisse sur le dos du canard,

mais lui, il est toujours au sec !

Il n'est pas fou, cet enfant.

Une fois de plus, une énorme bourrasque nous fait sursauter.

– On dirait que le toit va lever !

– Il va peut-être lever...

– Tu crois ?

Je ne réponds rien. Je préfère laisser planer le mystère.

– On dirait que c'est la fin du monde !

– C'est peut-être la fin du monde...

– Tu crois ?

– En tout cas, c'est la fin de mon monde à moi.

J'ai répondu sans m'en rendre compte, tout bas, comme si je me parlais à moi-même.

– Qu'est-ce que t'as dit ?

– Rien. J'ai dit que ça se pourrait que ce soit la fin du monde. Le vent est tellement furieux. Il finira par casser le gros sapin. Le sapin tombera sur les fils électriques. L'électricité coupera. Le chauffage marchera plus. Il fera très froid, ici. Tout le monde enfilera son manteau d'hiver, sauf ma mère, qui mettra son beau manteau de printemps. Et tous ensemble, ne pouvant plus faire cuire quoi que ce soit, on mangera des chips et des chocolats. On ne pourra jamais sortir d'ici, car le sapin aura roulé devant la porte d'entrée. On sera pris ici, barricadés pour le reste de nos jours.

Félix me regarde, un peu effrayé par mon envolée lyrique.

— Mais, mais, mais...

je veux pas passer le reste de ma vie ici !

— Pourquoi pas ? Tu es chez tes grands-parents. Tes parents sont juste à côté, en train de boire de la bière en jouant aux cartes sur de la musique heureuse. Tu manques de rien, ici. Tu as un toit, de l'amour, de la nourriture. Tu as même des manteaux pour t'amuser !

— J'aime mieux ma maison,

elle a l'air plus solide ;

j'aime mieux ma chambre,

elle me ressemble plus.

Pas toi ?

— Moi, ça me va. Mes parents sont jamais ensemble à la maison. Ici, au moins, ils sont là. Si le temps était suspendu… je veux dire… si tout s'arrêtait, là, que le sapin faisait son travail d'emprisonnement en bloquant toutes les issues possibles… Si le temps était suspendu, je serais avec mes deux parents. Ensemble.

Je me lève et vais me blottir entre les deux mannequins de couture qui se prennent pour mes parents. Je me sens à l'abri.

Félix me regarde silencieusement.

Calmement, je me dirige vers la fenêtre pour écouter le vent siffler. À mon tour de poser mes paumes et mon oreille droite contre la vitre. À mon tour de me prendre pour le Garfield fixé sur une des fenêtres de la voiture de ma mère. C'est très froid, mais ça fait du bien. La chambre est surchauffée, comme le reste de la maison. Je pose ma joue aussi. C'est rafraîchissant, même apaisant.

Félix me rejoint à la fenêtre. Il vient m'imiter, mais, pour une fois, je n'ai pas envie de rire de lui ou de le pousser. Il est tout près de moi, sa joue et son oreille droites collées à la vitre. Je le dépasse d'une bonne tête. Il est si petit, cet enfant.

Nos oreilles se prennent pour des ventouses. C'est comme si nous écoutions la mer dans un coquillage, mais au lieu d'entendre des vagues, nous entendons la tempête qui siffle tel un serpent. Ça a quelque chose de rassurant. Nous sommes du bon côté de la vie. Du côté de la chaleur, des gens, des chips, de la musique. Dehors, c'est le froid, la solitude, la glace, le silence (du moins, quand le vent se calme le pompon). Et pourtant, c'est magnifique.

Félix et moi regardons le portrait en silence un moment, le souffle coupé.

Nous restons ainsi longtemps. Je ferme les yeux. Je finis par oublier où je suis. Le froid de la vitre m'engourdit la mâchoire, comme chez le dentiste. Mais c'est une anesthésie agréable.

C'est Félix qui rompt le silence. Il me ramène à mes mensonges un peu honteux.

— Tu voudrais pas aller rejoindre tes vrais parents aux États-Unis?

Je soupire de culpabilité. Pourquoi le mener en bateau comme ça?

— J'ai pas de vrais parents là-bas, Félix… Ma mère et mon père québécois sont mes deux seuls parents, comme toi. Je suis banale comme toi.

— Je m'en doutais…

Et tu as neuf ans?

— On s'est dit qu'on n'allait pas jouer sur les chiffres.

Il me sourit, complice.

— Et c'est qui, Kim?

— J'imagine que c'est le nom de la nouvelle amoureuse de mon père.

— Oh...

— Et j'imagine que mon père va laisser ma mère pour elle. Vers la fin de l'automne, à la première neige, il a dit à ma mère qu'il ne l'aimait plus. Ils vont vendre la maison. Mon père va se prendre un petit appartement dans un coin de la ville. Ma mère va se prendre un petit appartement dans l'autre coin de la ville. Et moi, je vais devoir diviser mon temps entre les deux. Diviser mon cœur et ma vie en deux. Donc, si la tempête nous bloquait ici, les trois ensemble en plein cœur de la ville, ça ferait pas mal mon affaire, imagine-toi donc...

— Si tu veux, je pourrais aller aider la tempête

à faire tomber le sapin sur la maison

pour qu'on n'en sorte jamais

ça m'irait

je suis prêt à passer ma vie à manger des

chips et des chocolats avec toi

tes parents

mes parents

et le reste de ma famille

ça serait Noël à jamais

toujours des cadeaux

toujours des chansons

toujours des jeux

avec toi

ça ferait pas mal mon affaire à moi aussi,

au fond !

— Et comment tu ferais ça ?

— Bouge pas, je reviens !

— Félix ! Dis rien à personne ! que je lui crie.

— Promis !

Félix sort, décidé. Me voilà seule dans la chambre de grands-parents qui ne sont pas les miens. Mon petit-cousin met un temps fou à revenir de je ne sais où.

La musique des fêtards dans le salon fait son chemin jusque dans la chambre. Mais je sais bien que je ne suis entourée que par la tempête. Je veux manger des chips, mais le bol est vide. Je me le mets à l'envers sur la tête et me regarde dans le miroir, pour essayer de me divertir. Ça ne marche pas. J'ai l'air ridicule, mais je ne ris pas. Ça fait si longtemps que je n'ai pas ri...

Je retire le bol de ma tête. Je me sens soudainement seule. C'est un sentiment que j'éprouve de plus en plus. Je préférais quand Félix était là, dans la pièce. Il ne me faisait pas tout à fait rire, mais au moins il essayait.

Félix revient les bottes aux pieds et le siphon des toilettes à la main.

— Ç'a été long, parce que mononcle Robert était aux toilettes!

— Qu'est-ce que tu fais avec tes bottes et un siphon?

— Je suis allé chercher mes bottes dans le bain! Inquiète-toi pas, personne ne m'a vu!

Et le voilà qui enfile son habit de neige. Je l'interroge des yeux.

— Je vais dehors braver la tempête. Je ne veux pas avoir trop froid...

— Aller dehors?!?

— Oui, je vais sauter par la fenêtre.

Je sais comment elle s'ouvre.

— C'est trop haut.

— Je suis déjà sorti par ici une fois, l'été passé.

Jʼavais sauté, mais je m'étais pas trop fait mal.

Là, avec la neige, ça va être encore plus mou.

La neige va amortir ma chute.

— C'est trop froid.

— Pas avec ma tuque, mon foulard, mes mitaines.

Pas avec le manteau de fourrure de chat de ma mère.

Félix enfile le vison de sa mère par-dessus son propre manteau.

— C'est trop dangereux.

— Non, j'ai un siphon pour me protéger.

Je vais m'en servir pour faire tomber le sapin !

Au nom de notre amitié.

Tu es mon amie, hein, Kanuk ?

— Hum-hum.

— Hum-hum oui

ou hum-hum non?

— Hum-hum oui.

Félix s'acharne sur la fenêtre, qu'il parvient à ouvrir. Aussitôt, la tempête retentit dans nos oreilles, comme si elle s'engouffrait dans la chambre. Je dois hurler ma confession.

— Il faut que je t'avoue quelque chose. Je m'appelle pas vraiment Kanuk.

— Tu t'appelles comment, d'abord?

— Morgane.

— C'est plus joli.

— Et j'ai pas vraiment dix-huit ans...

— Tu en as neuf, je sais,

on va pas jouer sur les chiffres!

— Non. On va pas jouer là-dessus!

— Et tu es vraiment une actrice américaine?

— Pas encore, mais ça tardera pas.

— Souhaite-moi bonne chance.

– Bonne chance !

Mon petit-cousin se hisse. Il a déjà la tête sortie. Ça n'a aucun bon sens. Je ne peux pas le laisser se faufiler dans la tempête. En un instant, le vent trop insistant emporte sa tuque et lui vole ses lunettes 3D. En tentant de les rattraper, il échappe son siphon dans la neige. Le vent cruel dépouille mon nouvel ami. C'en est trop pour moi. Je tire sur ses pelures de manteaux et le ramène vers moi, sur le tapis mauve et rassurant. Je ferme la fenêtre pour faire taire les siffle-ments assourdissants.

Tout d'un coup, tout est calme. Très très calme. C'est étonnant, mais aucun invité ne vient vérifier ce qu'il se passe ici. Peut-être bien qu'ils s'amusent trop entre eux et que nous les laissons indifférents, leur joie avalant le reste. Les hommes avec leur partie de billard, les femmes avec leur partie de cartes. Alors que les enfants, eux, vivent de grandes choses.

Pendant que je me fais ces réflexions, Félix reprend son souffle, sans comprendre ce qu'il vient de vivre. Il a l'air triste, ou déçu, ou apeuré. Ce n'est pas clair. Ses yeux si beaux et si bleus sont plantés dans les miens. Les miens qui lui disent que je l'aime trop pour le laisser s'aventurer dehors.

— J'ai perdu ma tuque

mes lunettes 3D

mon siphon

et mon sourire !

— C'est pas grave.

Avec la manche de ma veste, j'éponge son visage mouillé par la neige. Ses joues sont déjà rouges et ses cheveux sont en bataille.

– Tes cheveux sont tout mêlés. Regarde-toi, tu as la tête pleine de vent pour vrai !

– Sans mes lunettes 3D, la vie va redevenir en 2D.

Ma main caresse ses cheveux glacés.

– Je suis sûre que tu es capable de voir la profondeur sans elles. Moi, par exemple, tu réussis à me voir avec plus de consistance que j'en ai l'air, non ?

– Oui, c'est vrai.

Tu as de la profondeur.

– Alors souris ! Si on sort d'ici, je te le promets : je t'emmène au cinéma voir un film en 3D. Et on volera plein de leurs lunettes spéciales !

En disant ça, je n'ai pas menti. Je suis sincèrement prête à aller au cinéma avec Félix. Je lui donne un bec pour le rassurer.

— C'est pas pour ça que j'ai perdu mon sourire dans la neige.

C'est parce que j'ai pas réussi à me rendre à l'arbre.

— On s'en fout.

— Je m'excuse.

— On s'en fout, j'ai dit.

— Mais tu voulais rester ici.

Ne jamais rentrer...

— C'était nono. Je peux pas contrôler ça... Dans le fond, je devrais juste dire la vérité à mes parents.

— Leur dire quoi?

— Que je ne veux pas être divisée entre eux.

— Pourquoi tu leur dis pas?

— Je suis pas capable.

— Comment ça?

– Quand j'ouvre la bouche, ça bloque. La vérité sort pas. Juste du mensonge, parce que le mensonge, c'est plus confortable.

– Il faut juste se pratiquer à dire la vérité, à s'ouvrir...

– Comment faire ?

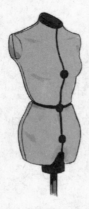

Félix montre les mannequins de couture habillés des manteaux de mes parents.

– Essaie avec eux.

– C'est pas mes parents.

– Fais comme si.

Tu es une comédienne, après tout...

Mon petit-cousin plante toujours ses beaux yeux francs dans mes yeux bruns. À l'évidence, il me met au défi. Je joue le jeu.

— Maman, papa, je veux que vous m'écoutiez.

— « Oui, Mégane ? »

Mégane ? Non. Je le corrige.

— Morgane.

— Oh. Oups. « Oui, Morgane ? »

— Là, tu joues qui ?

— Hein ?

— Tu joues mon père ou ma mère ?

— Euh... Ton père.

— C'est pas la voix de mon père.

— C'est quoi, la voix de ton père ?

Je modifie ma voix pour qu'elle ressemble à celle de mon père.

— Un peu ça : « Bonjour, Morgane ! »

Félix m'imite, mais avec un talent modéré.

– « Bonjour, Morgane ! »

– Ouin, si on veut.

– « Alors, Morgane, tu veux nous parler, à
maman et moi ? »

– Oui…

– « Nous t'écoutons. »

– Je… je…

– « Oui...? »

Mon petit-cousin se déplace derrière le mannequin qui personnifie mon père. Félix disparaît complètement derrière le manteau de motard. Je regarde une des manches du manteau qui pendouille mollement. Je la prends dans ma main froide. Le cuir a beau être glacé, c'est comme si les mains chaudes de mon père y apparaissaient pour réchauffer les miennes. Puis, j'étire mon bras jusqu'à la manche en jeans de ma mère. Je tiens les deux manches des manteaux de mes parents. Ça me rappelle quand j'avais l'âge de Félix et qu'ils me soulevaient au-dessus des vagues, quand on allait à la plage. Je pouvais compter sur eux pour me lever au-dessus des remous. Je pouvais compter sur eux pour me faire éclater de rire à chaque fois, comme si leur tenir la main, c'était un manège à La Ronde.

— «Nous t'écoutons, Morgane.»

La voix trafiquée est celle de Félix, caché derrière les mannequins. Mais je m'en fous. Je fais comme si. Je joue à la comédienne. Mais je dis la vérité.

— Papa, mon bon petit papa. Maman, ma belle belle belle maman. Je comprends pas encore l'amour. J'ai juste neuf ans, c'est pour ça. Je suis encore une enfant, au fond. Je sais pas comment ça fait pour venir, l'amour, et repartir quand ça lui chante. Pourquoi il reste pas plus longtemps, comme matante Stéphanie…

— Matante Stéphanie? demande Félix, dérogeant momentanément à son rôle.

— Oui, matante Steph. Elle ne sait jamais quand c'est le moment de partir. Elle s'invite toujours à souper, même quand c'est mieux pas. Matante Stéphanie se sent toujours à l'aise à la maison. Elle se sent chez elle. C'est pour ça qu'elle veut jamais partir. Pourquoi elle donnerait pas des cours à l'amour, à celui qu'il y a entre vous deux? Des cours pour lui montrer à rester à souper, à prendre ses aises, à se sentir à la maison. Votre amour se sent plus à la maison. Il est comme moi: il sait plus où se mettre dans la maison. Y a juste de la place pour les cris.

« Peut-être que c'est vraiment fini pis que j'y peux rien. Peut-être que c'est pas réparable, contrairement à un fond de culotte fendu…

«Par contre, je vous demande de comprendre une chose. C'est dur, ce que vous me faites vivre. Je vous demande d'arrêter de vous salir. S'il vous plaît. Arrêtez de vous manger la laine sur le dos.

«Maman : moi, papa, je le trouve beau, pis je l'aime.

«Papa : moi, maman, je la trouve belle, pis je l'aime.

«Je veux pas choisir mon camp. Je vous choisis les deux ensemble. Je veux pas qu'on me déchire d'un bord pis de l'autre. Sinon, je vais fendre comme un fond de culotte. Comme votre amour. Voilà ce que je vous demande. Pensez-vous que c'est possible d'aller à la plage pis de me soulever au-dessus des vagues, même si c'est fini entre vous deux ? Est-ce que votre amour peut encore me soulever au-dessus des remous ? »

Je suis toute petite dans la chambre mauve. Les poils du tapis me donnent une illusion de douceur. Je suis toute petite entre les mannequins-parents. Je joins les manches de leurs manteaux et les replie, comme quand j'aide maman avec les chaussettes. Le cuir de papa et le jeans de maman se joignent, comme s'ils se tenaient par la main. Comme si papa réchauffait encore maman.

Au bout d'un moment, la tête poétique de Félix apparaît entre les deux manteaux.

— Tu es pleine de profondeur, toi!

Avec une fille comme toi, pas besoin de lunettes 3D!

Je peux te serrer dans mes bras, Morgane?

— Tu veux me faire un câlin?

— Il me semble qu'un mannequin en tissu pis un manteau,

c'est moins rassurant que des vrais bras...

Non?

— Oui, probablement.

— Mes bras à moi ne sont pas en tissu.

Touche.

Mes bras sont en vrais bras

avec de la chair autour.

Félix m'ouvre ses bras. Je m'y blottis. Il sent le raisin et je me sens à la maison, contre lui. Nous sommes frère et sœur d'haleine de gomme balloune.

Je regarde autour de nous. Il y a des manteaux partout : sur le lit, au sol, sur les mannequins. C'est à croire qu'une petite tempête a passé par ici. Ou simplement que deux enfants se sont amusés. Je défais le sablier de ma mère ; je retire sa jupe de tennis en abat-jour et la remets sur la lampe pendant que Félix reforme une montagne parfaite de manteaux sur le lit.

— Morgane, tu m'as pas répondu tantôt, mais j'aimerais vraiment savoir :

si on essaie de compter jusqu'à l'infini-loin,

est-ce que ça continue après notre mort?

— Je sais pas, peut-être. En tout cas, à ce moment-là, tu seras proche d'être un vieil adulte, comme moi. Tu t'appelleras Réal 3D et moi je serai une actrice américaine.

— Je suis pas sûr pour Réal 3D...

Je vais peut-être garder mon prénom, finalement.

— Tu as le temps d'y penser. Il te reste au moins… quinze ans avant de devenir un adulte.

Félix me corrige. On ne peut pas lui en passer une, à lui.

— Treize!

Je me suis renseigné.

— Treize ans, quinze ans… On va pas jouer sur les chiffres!

— Non.

On va pas jouer sur les chiffres.

Pour le moment, Félix et moi, on va sauter sur le lit, garni des manteaux de la grande famille Beaulieu.

Fin

# Remerciements

Je tiens à remercier l'aide financière accordée par le CALQ pour la version théâtrale de ce texte. Je remercie également le Théâtre la Passerelle à Rixheim, en Alsace, pour m'avoir offert une résidence d'écriture. Finalement, je tiens à adresser toute ma reconnaissance à la compagnie de théâtre jeune public, L'Arrière Scène, pour leur appui et leur inspiration. Un merci tout particulier à Serge Marois, naturellement, mon fidèle complice de création jeunesse.

EN VACANCES

Retrouvez les autres romans de la collection.

LE JOURNAL DE CORALIE

Catherine Girard-Audet

BOUDDHA LE CHAT

Yves Trottier

FRISSONS À VAL-JALBERT

Corinne De Vailly

MISSION : ESPION

Fabien Deschênes

Visitez notre site internet : lesmalins.ca